Les ressources naturelles

Carrie Gleason

Texte français de Claudine Azoulay

Éditions
SCHOLASTIC

Catalogage avant publication de Bibliothèque et Archives Canada

Gleason, Carrie, 1973-
Les ressources naturelles / Carrie Gleason ; traduction de Claudine
Azoulay.

(Le Canada vu de près)
Traduction de: Canada's natural resources.
ISBN 978-1-4431-0796-9

1. Ressources naturelles--Canada--Ouvrages pour la jeunesse.
I. Titre. II. Collection: Canada vu de près

HC113.5.G5414 2012   j333.70971   C2012-901681-0

Édition publiée par les Éditions Scholastic,
604, rue King Ouest, Toronto (Ontario) M5V 1E1 CANADA.

6 5 4 3 2 1   Imprimé au Canada 119   12 13 14 15 16

Table des matières

Riche en ressources

Les ressources naturelles sont des éléments présents dans la nature, que les humains utilisent. Certaines sont nécessaires à notre survie, comme l'eau que nous buvons, les aliments que nous mangeons et les matériaux que nous employons pour nous construire des logements. D'autres rendent notre vie plus agréable. Par exemple, les jeux vidéo et les ordinateurs nous permettent, entre autres, de nous divertir. De nombreuses **matières premières**, dont plusieurs proviennent de **minéraux** et de **combustibles fossiles**, sont utilisées pour fabriquer le matériel électronique.

Le Canada est un pays immense, doté d'océans et de rivières, de forêts et de montagnes, de sols **fertiles** et de prairies. Dans tous ces **environnements**, les gens ont découvert des moyens d'utiliser les ressources naturelles disponibles.

Découvrons ensemble les richesses du Canada.

Chapitre 1

Les forêts

Des arbres rabougris du Grand Nord aux cèdres géants des côtes de la Colombie-Britannique, les forêts recouvrent plus de la moitié du Canada. Les arbres constituent la ressource naturelle la plus importante des forêts canadiennes. Ils sont coupés et utilisés dans la construction, la papeterie et d'autres **industries**.

Le Canada compte huit régions forestières. Les types d'arbres, de plantes et d'animaux qui peuplent une région forestière dépendent du climat et de la géographie. Il y a environ 180 espèces d'arbres qui poussent au Canada. Cette diversité est le gage d'une forêt en santé, qui favorise une variété d'animaux, d'insectes et de plantes.

La plus grande région forestière canadienne s'étend sur 5 000 kilomètres d'un bout à l'autre du pays, du Yukon jusqu'à Terre-Neuve. Elle est couverte par la forêt boréale, une « forêt mixte », constituée à la fois de **feuillus** et de **conifères**. Cette forêt abrite des milliards

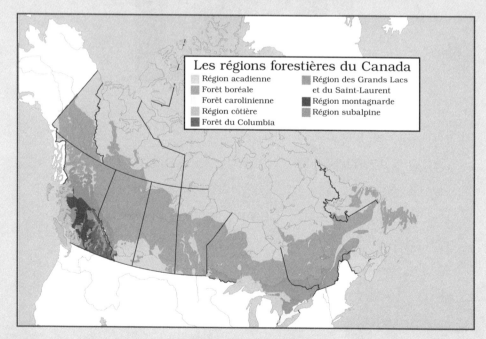

Les régions forestières du Canada

- Région acadienne
- Forêt boréale
- Forêt carolinienne
- Région côtière
- Forêt du Columbia
- Région des Grands Lacs et du Saint-Laurent
- Région montagnarde
- Région subalpine

d'oiseaux, des milliers d'animaux et des centaines de communautés humaines.

La deuxième région forestière du Canada est celle des Grands Lacs et du Saint-Laurent. Elle couvre le sud de l'Ontario et du Québec, ainsi que le sud-est du Manitoba. Les arbres de cette région — pins, bouleaux, érables et chênes — sont semblables à ceux de la région forestière des provinces atlantiques, appelée région acadienne.

La plus petite région forestière du Canada est celle de la forêt carolinienne de l'Ontario, constituée principalement de feuillus. Les autres régions forestières sont situées dans l'Ouest : la région côtière, la région du fleuve Columbia, la région montagnarde et la région subalpine de la Colombie-Britannique et de l'Alberta.

Les termes bois d'œuvre de résineux ou bois d'œuvre de feuillus sont souvent utilisés dans l'industrie forestière. Le bois d'œuvre de résineux vient des conifères, des arbres comme les pins, les sapins ou les cèdres. Le bois d'œuvre de feuillus vient d'arbres à feuilles caduques. Les graines des feuillus comportent une enveloppe dure, comme les glands d'un chêne.

Chaque année, environ 1 million d'hectares de forêts sont coupés au Canada. Cette superficie équivaut à près de deux fois la taille de l'Île-du-Prince-Édouard, mais représente moins de 1 % de la totalité des forêts canadiennes.

L'industrie de la coupe des arbres à des fins commerciales s'appelle l'exploitation forestière. Les gens qui y travaillent coupent les arbres, transportent les rondins ou effectuent des tâches d'administration et de gestion liées à ces activités. Ces gens doivent décider quelle coupe forestière utiliser parmi ces trois types : la coupe à blanc, la coupe de jardinage et la coupe progressive.

Dans une coupe à blanc, des zones entières de forêt sont coupées, créant de grandes trouées vides. Au Canada, environ 85 % de l'exploitation forestière s'effectue par des coupes à blanc. Certains considèrent que cette méthode est néfaste pour les forêts canadiennes parce qu'elle endommage des habitats forestiers où vivent des oiseaux, des insectes et d'autres animaux. D'autres disent qu'elle est meilleure pour la forêt parce qu'elle ressemble à un processus naturel, comme un feu de forêt.

Forêt coupée à blanc en Colombie-Britannique.

Avec la coupe de jardinage, on n'abat que certains arbres à la fois, en commençant par ceux qui sont endommagés ou malades. Cette méthode est plus coûteuse pour les compagnies forestières et prend plus de temps, mais elle est plus avantageuse pour les forêts. La coupe progressive consiste à laisser environ un tiers des arbres afin qu'ils déposent leurs graines et procurent de l'ombre aux arbres qui repousseront.

Les industries liées aux forêts procurent des emplois à environ 600 000 Canadiens.

Les planteurs d'arbres doivent être enthousiastes et robustes pour se rendre dans des régions reculées et y planter de nouveaux arbres.

Après avoir coupé les arbres dans une forêt, la compagnie forestière doit veiller à en replanter de nouveaux. Les forêts sont des ressources renouvelables, c'est-à-dire qu'elles repousseront après avoir été coupées. Cependant, il faut trouver un équilibre entre le rythme auquel on les utilise et le rythme auquel elles poussent. Cet équilibre s'appelle la durabilité.

Pourquoi avons-nous besoin des arbres? Leurs feuilles produisent l'oxygène que nous respirons et absorbent le dioxyde de carbone, un gaz nocif. Leurs racines peuvent aider à éviter l'érosion des berges en retenant la terre.

Habituellement, la compagnie forestière engage des planteurs d'arbres pour effectuer cette tâche. Les planteurs d'arbres se rendent dans la région où les arbres ont été coupés. Souvent, ils vivent dans des tentes installées dans la forêt. Ils y restent plusieurs semaines, voire plusieurs mois, durant la saison de plantation.

On pourrait croire que les ressources forestières sont illimitées, mais n'importe quelle ressource naturelle peut s'épuiser si elle n'est pas gérée convenablement. Gérer la forêt veut aussi dire surveiller les feux de forêt, les maladies des plantes ainsi que les insectes qui peuvent être nuisibles.

La quasi-totalité (93 %) des forêts canadiennes appartient au domaine public, ce qui signifie que les forêts appartiennent à tous les Canadiens plutôt qu'à des particuliers. Les gouvernements fédéral et provinciaux gèrent ces forêts pour eux. Les compagnies forestières doivent obtenir des permis du gouvernement avant de se rendre dans une forêt pour y couper des arbres. Elles doivent aussi payer des droits et fournir un plan illustrant de quelle manière elles vont replanter la forêt.

Le Canada est l'un des plus grands **exportateurs** mondiaux de bois de construction et d'autres produits du bois, dont une grande partie est du bois d'œuvre de résineux provenant des forêts de la Colombie-Britannique. Ce bois est utilisé dans l'industrie de la construction pour bâtir de nouvelles maisons. Pour faire du bois de construction, on transporte les arbres abattus vers une scierie où ils sont coupés en planches. En général, les scieries sont situées à proximité des forêts et procurent des emplois à des communautés isolées, notamment en Colombie-Britannique, en Ontario et au Québec.

Des rondins de conifères attendent d'être transformés au Québec.

La foresterie par province

• La plus importante industrie du bois de construction au Canada se trouve en Colombie-Britannique. Les principaux partenaires commerciaux de la province sont les États-Unis, la Chine et le Japon.

• La Saskatchewan est, en général, considérée comme une région de prairies. Pourtant, plus de la moitié de son territoire est recouverte d'arbres! Chaque année, la foresterie contribue pour environ 1 milliard de dollars à l'économie de la province.

• L'industrie des produits du bois – la fabrication d'objets tels que les meubles, les panneaux et les armoires – représente l'aspect le plus important de la foresterie au Manitoba.

• La foresterie procure des centaines de milliers d'emplois en Ontario et au Québec.

• La fabrication de la pâte à papier et celle du papier sont des industries importantes dans le centre et l'est du Canada.

• L'industrie du sapin de Noël est particulièrement importante pour les provinces atlantiques. Les arbres en provenance de l'est sont exportés vers le centre du Canada et les États-Unis. La plupart des arbres de Noël sont cultivés dans des fermes forestières.

Les arbres fournissent aussi la matière première nécessaire à la fabrication de divers produits du papier, dont les livres, les journaux, les mouchoirs en papier et les emballages. Il s'agit de l'industrie des pâtes et papiers.

Pour fabriquer les produits du papier, on utilise les copeaux de bois récupérés dans les scieries et on les envoie dans une usine de pâte à papier. Ils sont réduits en un mélange épais (la pâte) par un procédé de broyage chimique ou mécanique, selon le produit fini. Dans le procédé kraft, on a recours à des produits chimiques pour produire une pâte qui donnera des articles en papier résistants. La pâte utilisée pour le papier journal n'a pas besoin d'être aussi résistante; on utilise donc une combinaison de procédés chimique et mécanique.

Une fois la pâte prête, on l'envoie dans une papeterie où elle sera transformée en papier. Au Québec et en Ontario, l'industrie des pâtes et papiers occupe une place importante.

On imprime les journaux sur du papier journal.

Une machine à papier au Québec.

Tu aimes les forêts et tu veux t'assurer qu'elles sont bien gérées, mais en même temps tu aimes partager tes livres et magazines préférés avec des amis? Que peux-tu faire pour aider l'environnement? Cherche le symbole FSC sur les produits forestiers. FSC est l'acronyme du *Forest Stewardship Council*, une organisation qui s'assure que les forêts sont bien gérées et que les droits des terres des Autochtones sont respectés. Le FSC enquête sur les entreprises qui créent les produits, des bûcherons aux fabricants en passant par les entreprises qui vendent les produits aux magasins, pour s'assurer que leurs pratiques ne nuisent pas à l'environnement et à la société.

Les arbres contribuent à la santé des forêts. Les forêts saines permettent à d'autres plantes de pousser, notamment les bleuets, les champignons et les crosses de fougères. Le Canada est le plus grand exportateur de bleuets sauvages au monde. Certaines plantes de la forêt, comme l'if du Canada ou la pruche, servent à fabriquer des médicaments. On peut extraire la sève des érables pour en faire du sirop d'érable. Cette industrie est particulièrement importante au Québec. En fait, le Canada fournit 85 % du sirop d'érable mondial.

Les forêts procurent un habitat aux animaux, qui sont eux aussi des ressources naturelles. On peut chasser et piéger les animaux pour leur viande et leur fourrure. Les animaux, les oiseaux et les insectes contribuent à la croissance des forêts grâce à la dissémination des graines et à la **pollinisation** des plantes.

Dans son habitat forestier naturel, un renard véloce se blottit pour se garder au chaud.

S'occuper des ressources naturelles veut dire aussi s'occuper de l'environnement.

Mais par-dessus tout, des forêts en santé procurent du plaisir aux humains. Alors, la prochaine fois que tu iras dans une forêt, que ce soit en randonnée, à bicyclette, pour un pique-nique ou en camping, regarde autour de toi et compte les nombreuses utilisations que les humains peuvent faire de tout ce que tu vois.

Chapitre 2

Les océans, les rivières et les lacs

Notre devise est « d'un océan à l'autre ». En plus d'être bordé par de l'eau de mer sur trois côtés, le Canada possède le cinquième de l'eau douce mondiale dans ses nombreux lacs et rivières.

À l'est du Canada se trouve l'océan Atlantique, à l'ouest, l'océan Pacifique et au nord, l'océan Arctique. Les territoires de pêche du Canada s'étendent à 200 milles marins (370 kilomètres) au large de ses côtes.

L'eau est une ressource naturelle importante. On boit de l'eau douce et on s'en sert pour effectuer des tâches domestiques, comme se laver et cuisiner. L'eau est également utilisée, entre autres, dans l'agriculture et dans les **industries manufacturières** et minières. On trouve en eau douce ou dans les océans une variété de poissons et de plantes.

Dans certaines régions du monde, l'eau est si rare et si précieuse que les gens font la guerre pour elle. Les Canadiens sont chanceux de ne pas avoir ce souci. Toutefois, dans le passé, nous avons commis des erreurs lors de la gestion de nos ressources marines. Nous avons appris que nous devions mieux nous occuper de l'eau et des animaux qui la peuplent.

Des bateaux de pêche sur la côte ouest.

L'industrie de la pêche canadienne emploie plus de 94 000 personnes. Des communautés entières des régions côtières et rurales dépendent de la pêche pour survivre. Environ 85 % des prises sont exportées vers 130 pays du monde entier, mais surtout vers les États-Unis. Cette activité génère une industrie de 3,9 milliards de dollars. Les poissons et fruits de mer constituent la deuxième exportation alimentaire du Canada, après les céréales.

Le Canada compte 2 millions de lacs et de rivières. Il possède le plus grand système d'eau douce au monde.

Les premiers Européens arrivés sur les côtes canadiennes étaient venus pour pêcher aux Grands Bancs. Les Grands Bancs, situés au large de la côte de Terre-Neuve, sont une extension souterraine du continent, d'une profondeur de 100 mètres. À cet endroit, l'eau chaude du Gulf Stream rejoint l'eau froide du courant du Labrador, créant un environnement parfait pour le **plancton**, élément important du régime alimentaire de certains poissons et en particulier de la morue.

Pendant 500 ans, les pêcheurs sont venus aux Grands Bancs. Dans les années 1950, d'énormes chalutiers et des navires-usines travaillaient dans ces eaux et y prélevaient des tonnes et des tonnes de poissons. Personne n'a compris que l'on pêchait la morue à un rythme trop rapide. Le poisson n'avait pas le temps de **se reproduire.** Dans les années 1990, il n'y avait plus de morue.

Pour les pêcheurs de Terre-Neuve, la fin de la pêche à la morue a signifié la perte de leur emploi. De nombreuses communautés de pêche ont souffert quand environ 30 000 personnes se sont soudainement retrouvées sans travail.

Un équipage étale du poisson pour le faire sécher en 1932. La morue séchée et salée était à la base de l'économie de Terre-Neuve-et-Labrador jusqu'à ce que les stocks soient épuisés.

En 1992, un **moratoire** imposé par le gouvernement canadien a rendu la pêche à la morue illégale. Vingt ans plus tard, il n'y a toujours pas de pêche à la morue **commerciale** au large de Terre-Neuve. La population de morue retrouvera-t-elle ses niveaux antérieurs? On ne le sait pas.

En raison de ce qui s'est produit avec la morue, le Canada a été l'un des premiers pays à instaurer un code de conduite pour une pêche responsable, et les pêcheurs canadiens se sont engagés à gérer cette ressource.

Aujourd'hui, l'industrie de la pêche des provinces atlantiques comprend des crustacés, comme le homard, la crevette et le crabe. Une bonne partie de ces crustacés est exportée, c'est-à-dire vendue à d'autres pays. Le Canada est le huitième exportateur mondial de poissons et de fruits de mer.

Les chalutiers sont des navires qui tirent de grands filets derrière eux, prélevant tous les animaux marins présents dans l'eau. Les navires-usines sont d'énormes bateaux de pêche dotés d'un système de réfrigération. Ainsi, les prises ne se gâtent pas si les pêcheurs restent plus longtemps en mer afin de prendre davantage de poissons.

Les pêcheurs empilent des casiers à crabes sur les quais de la ville de St. John's à la fin de la saison de pêche à Terre-Neuve.

Le crabe, la crevette, les palourdes et les huîtres sont d'autres crustacés importants pour l'industrie de la pêche canadienne.

Mais l'exportation de crustacés la plus lucrative est celle du homard. Il est pêché le long de la côte de la Nouvelle-Écosse, ainsi que dans la baie de Fundy, le golfe du Maine et le Saint-Laurent. La majorité des homards est attrapée près du rivage dans des casiers. Afin de s'assurer qu'il y aura suffisamment de homard à l'avenir, les femelles porteuses d'œufs et les jeunes homards sont rejetés à la mer quand ils sont pris. Le gouvernement délivre un nombre limité de permis de pêche au homard. Le nombre de casiers autorisés est également surveillé de près.

Casiers à homards à Peggy's Cove en Nouvelle-Écosse.

La Colombie-Britannique est la première province exportatrice de poissons et de fruits de mer au Canada, suivie de la Nouvelle-Écosse, de Terre-Neuve-et-Labrador, du Nouveau-Brunswick et du Québec. En Colombie-Britannique, le saumon est la prise la plus lucrative. Les œufs de saumons sauvages éclosent dans les rivières d'eau douce. Les jeunes poissons nagent ensuite jusqu'à l'océan Pacifique. Une fois par an, les saumons adultes retournent à leur lieu de naissance pour y pondre des œufs. C'est la migration des saumons. Beaucoup d'entre eux ne survivent pas à ce long voyage. De plus, les pêcheurs commerciaux, ainsi que les pêcheurs sportifs, les attrapent durant cette **migration** annuelle.

Pour assurer un approvisionnement en saumon plus stable, le saumon de l'Atlantique est élevé dans des fermes piscicoles en Colombie-Britannique. Actuellement, les saumons de cette province sont en majorité des saumons d'élevage de l'Atlantique. Le saumon de l'Atlantique n'est pas **originaire** de la Colombie-Britannique et beaucoup de gens craignent les effets des fermes piscicoles sur l'environnement. Les poissons sont élevés dans des enclos, installés en bordure des côtes et dans des ports. Certains croient que les fermes relâchent dans l'océan des maladies et des **contaminants**, qui nuiront à d'autres formes de vie marine. D'autres craignent que les enclos ne se brisent et que les saumons de l'Atlantique ne soient libérés dans la nature, où ils seront en concurrence avec les saumons sauvages pour leur habitat.

Les lacs et les rivières d'eau douce du Canada fournissent eux aussi du poisson. Dans le lac Winnipeg, au Manitoba, une grande flotte de pêche commerciale attrape la laquaiche aux yeux d'or, un petit poisson semblable au hareng. En Alberta, le corégone est pêché dans les lacs du nord de la province.

Les grizzlys aiment la migration des saumons, eux aussi!

Un des moyens de garantir que les poissons et les fruits de mer que nous consommons aujourd'hui pourront encore être pêchés à l'avenir consiste à les élever dans des fermes piscicoles plutôt qu'à les prendre dans la nature. Il existe des fermes piscicoles dans toutes les provinces et tous les territoires.

Les océans ne fournissent pas que du poisson. La mousse d'Irlande est une algue, qui est récoltée à l'Î.-P.-É. Les pêcheurs se servent de bateaux pour la récolter dans les eaux peu profondes de la côte ouest de la province. La mousse d'Irlande est utilisée dans la fabrication de la bière, des cosmétiques et de la crème glacée. C'est la **récolte** d'algues la plus lucrative au Canada.

La récolte de mousse d'Irlande à l'Île-du-Prince-Édouard.

Une ferme piscicole dans la baie de Fundy au Nouveau-Brunswick, région où l'aquaculture est devenue une industrie importante.

L'élevage de poissons dans des fermes s'appelle l'aquaculture. Au Canada, des fruits de mer, dont les huîtres, les moules, les palourdes et les pétoncles, sont élevés dans des fermes. L'Île-du-Prince-Édouard en produit le plus de cette manière. Les fruits de mer d'élevage sont offerts toute l'année. Huit espèces de poissons sont élevées dans des fermes au Canada, dont le saumon, la truite et l'omble chevalier. Le Nouveau-Brunswick et la Colombie-Britannique sont les plus grands producteurs de saumon d'élevage. On cherche aussi des façons d'élever de la morue dans des fermes piscicoles afin de restaurer les stocks décimés de l'Atlantique.

Chapitre 3

Les terres

Le Canada est le deuxième pays du monde en superficie. De toute sa superficie, soit 9 093 507 kilomètres carrés, seule une petite partie (4,5 %) est utilisée pour les cultures. Et pourtant, le Canada est le quatrième exportateur de produits agricoles au monde.

Pour produire des aliments, il faut avoir un sol sain, de l'eau et le climat qui convient. Le sol est composé de morceaux de roches, de sable, d'argile, d'eau, d'air et de **matières organiques.** De minuscules organismes vivants, comme les bactéries et les champignons, sont aussi présents dans le sol.

Le sol n'est pas le même partout. À l'Île-du-Prince-Édouard, une partie du sol est rouge, car il contient de l'oxyde de fer, ou rouille. Dans certaines régions des Prairies, le sol est noir, car il renferme beaucoup de matières organiques. C'est un sol fertile, c'est-à-dire que les plantes y poussent bien. Dans les régions du Canada couvertes de roche nue, comme les montagnes des Rocheuses, il n'y a pas de terre. On ne peut donc rien cultiver.

Le Service d'information sur les sols du Canada a créé un système de sept classes pour déterminer les zones de terres cultivables. Les zones de classe 1 sont les mieux adaptées aux cultures tandis qu'on ne peut rien faire pousser dans les zones de classe 7. Plus de la moitié des zones de classe 1 se situent dans le sud de l'Ontario. Mais cette zone est aussi la plus peuplée, alors les fermes et les villes se disputent les terres.

Des vergers et des vignobles dans la vallée de l'Okanagan en Colombie-Britannique.

Comme le Canada a des régions et des climats différents, certaines zones conviennent mieux à l'**agriculture** que d'autres. Dans le Grand Nord, le sol est froid toute l'année et les étés sont très courts, aussi l'agriculture y est limitée. Au sud de l'Ontario et du Québec, la saison des cultures est plus longue. Dans certaines régions, comme la vallée de l'Okanagan et la vallée du Fraser, en Colombie-Britannique, le climat et le sol sont parfaits pour cultiver des fruits et des légumes. Dans les Prairies, le blé et d'autres céréales poussent bien.

La Saskatchewan a la plus grande superficie de terres cultivables au Canada, suivie de l'Alberta, du Manitoba et de l'Ontario. Il y a environ 12 000 ans, une mer intérieure géante, le lac Agassiz, recouvrait des parties de la Saskatchewan, du Manitoba et de l'Ontario. Quand l'eau du lac a fini par

Aujourd'hui, les fermes des Prairies produisent environ 10 millions de tonnes de canola par an.

disparaître, elle a laissé derrière elle les terres fertiles de la vallée de la rivière Rouge, dans le sud du Manitoba, et de la vallée Qu'Appelle, en Saskatchewan.

De nos jours, la principale culture de la Saskatchewan est le blé. Le blé, de même que l'avoine, l'orge et le seigle aussi cultivés dans cette province, appartient à un groupe de cultures appelées cultures céréalières. La Saskatchewan fournit 10 % des exportations mondiales de blé.

Le canola est la deuxième culture en Saskatchewan. Des scientifiques des universités du Manitoba et de la Saskatchewan ont amélioré le canola il y a environ 50 ans. Le nom vient de deux mots anglais « Canadian » et « oil ». Les graines de canola poussent facilement dans le climat des Prairies. Une fois moulues, elles fournissent une huile de cuisson saine. Le canola sert aussi pour l'alimentation animale et la fabrication de **biocarburant**.

Les fermes des Prairies, et celles de l'Ontario et du Québec, font également des cultures destinées à l'alimentation des animaux d'élevage, notamment la luzerne, le foin et le maïs. Des fermes de l'Alberta, de la Saskatchewan et du Manitoba cultivent aussi le tournesol, dont les graines sont utilisées dans les mélanges pour les oiseaux.

Les aliments pour animaux qui poussent au Canada nourrissent le bétail. L'Alberta produit 60 % des bœufs de boucherie canadiens. Le bœuf est le principal produit agricole en Alberta. D'autres fermes dans tout le pays élèvent des vaches laitières, des porcs, des poulets et parfois des bisons.

Voici certains des principaux produits
agricoles du Canada :

- La Saskatchewan produit 99 % des pois chiches du
Canada. Les pois chiches font partie des légumineuses,
qui comprennent aussi les petits pois, les
lentilles et les fèves.

- Les pommes de terre constituent la culture légumière
la plus importante du Canada, et la province qui en produit
le plus est aussi la plus petite : l'Île-du-Prince-Édouard!
Cette île produit 26 % de toutes les pommes de
terre cultivées au Canada.

- Les fermiers de la Colombie-Britannique se consacrent,
entre autres, à l'élevage laitier, à la production fruitière,
comme les pommes et le raisin, et à la culture
de champignons!

- La vallée du Saint-Laurent est la région agricole la plus
importante du Québec. On y trouve des fermes laitières
et des fermes de fruits et de légumes.

- Les principales activités agricoles de l'Ontario sont la
production laitière et la culture de légumes,
de graines de soja et de maïs.

Comme les autres industries basées sur les
ressources naturelles, l'agriculture peut avoir un
effet néfaste sur l'environnement. Le sol est plus
délicat qu'il n'en a l'air. Un bon sol peut devenir
moins productif s'il est endommagé par un excès
de vent ou d'eau, ou par une sécheresse.

Cette situation peut être causée par de mauvaises techniques agricoles, un surpâturage des animaux d'élevage (un nombre trop élevé d'animaux qui broutent sur la même terre) et la pollution. Pour que le sol soit durable, l'agriculture doit introduire autant de **nutriments** qu'elle en prélève. Pour ce faire, les agriculteurs ajoutent des engrais au sol et effectuent une rotation des cultures. Certains agriculteurs se convertissent à l'agriculture biologique qui fait appel à des méthodes durables et non nuisibles à l'environnement, comme l'emploi de **pesticides** et d'engrais naturels. Les scientifiques font également des expériences pour découvrir de nouvelles plantes qui pousseront mieux dans des climats particuliers.

Un système d'irrigation industriel arrose les récoltes en Saskatchewan.

Chapter 4

Les roches et les minéraux

Nichées à une grande profondeur dans la roche se trouvent les ressources les plus précieuses du Canada : ses minéraux. Presque tous les objets que nous utilisons et qui ne proviennent pas de plantes ou d'animaux sont constitués d'une combinaison de minéraux.

Quand trois mineurs ont découvert de l'or à Bonanza Creek en 1896, un flot de près de 40 000 prospecteurs a déferlé sur le Yukon. L'or est un minéral précieux et tout le monde voulait devenir riche! Toutefois, très peu de gens ont fait fortune grâce à l'or durant la ruée vers l'or du Klondike. L'or n'était ni facile à trouver ni facile à extraire. Dawson City, la ville du Yukon qui avait poussé comme un champignon au début de la ruée vers l'or, a vu sa population décliner rapidement à la fin de l'aventure.

Aujourd'hui, l'or est le minéral **métallique** le plus exploité au Canada. D'autres minéraux importants sont le cuivre, le nickel, le zinc, le fer et la potasse. L'or est utilisé pour fabriquer des bijoux et des pièces électroniques. D'énormes compagnies minières construisent des mines et des installations de traitement au moyen d'une grosse machinerie qu'elles apportent. Mais d'abord, les **géologues** doivent trouver les minéraux. Pour ce faire, ils creusent profondément dans la terre et prélèvent des échantillons de roche pour voir si la région recèle des minéraux précieux. L'or et d'autres minéraux se trouvent en général combinés dans un type de roche appelé du

Une mine d'amiante à ciel ouvert au Québec

minerai. Pour extraire le minéral, on écrase les roches que l'on traite ensuite avec de l'eau et des produits chimiques. Si les minerais sont découverts près de la surface, on pratique une méthode d'extraction appelée exploitation de surface. Un exemple est la mine à ciel ouvert, dans laquelle on creuse de grands trous ou cratères dans la terre pour extraire le minerai. Une autre méthode d'extraction consiste à construire une mine souterraine.

L'industrie minière canadienne est l'une des premières au monde avec des exportations de plus de 60 minéraux différents. Elle emploie environ 300 000 personnes.

Les types de minéraux trouvés dans une région dépendent de la géologie de l'endroit. Le Bouclier canadien est une immense plaque plane de l'**écorce terrestre**, vieille de plus de 600 millions d'années. En plus de recéler certaines des roches les plus anciennes au monde, le Bouclier est également riche en minéraux. Les provinces et les territoires situés sur le Bouclier, comme le Manitoba, le nord de l'Ontario, le nord du Québec, le Labrador, les Territoires du Nord-Ouest et le Nunavut, ont une riche industrie minière.

Quand de nouvelles mines sont construites dans des régions reculées du Nord, comme au Nunavut, les Inuits et les Autochtones des communautés avoisinantes reçoivent une formation, puis sont engagés comme employés. Cela contribue à fournir du travail dans des régions où il n'y a pas beaucoup d'emplois payants. Quand les minéraux sont épuisés, les mines ferment. Les employés doivent alors trouver un autre travail, mais ils ont acquis une formation et des compétences qui leur permettront de trouver un nouvel emploi ou de s'en créer un eux-mêmes.

À la frontière du Québec et du Labrador se trouve un gisement de fer de 1 600 kilomètres de long. Des compagnies minières envisagent de construire d'autres mines à cet endroit pour extraire le fer en vue de le vendre à d'autres pays ou de l'utiliser dans l'industrie de l'acier canadienne. L'acier entre dans la fabrication des gratte-ciel, des ponts, des avions, des automobiles, des camions, du matériel agricole et de beaucoup d'autres choses.

La plus grande mine de potasse au monde se trouve à Esterhazy, en Saskatchewan. La potasse est une substance semblable au sel, utilisée comme engrais. Le Canada est le plus grand producteur de potasse au monde.

L'acier employé pour construire des ponts et des automobiles, l'or utilisé dans la fabrication des circuits électroniques, le verre présent dans les fenêtres et le revêtement des routes (même le dentifrice, la crème solaire et les cosmétiques), tous proviennent des minéraux! Ce n'est pas étonnant qu'ils soient si précieux.

L'exportation des diamants est l'une des exportations de minéraux canadiennes les plus récentes et les plus lucratives. Les gisements diamantifères et d'autres minéraux se sont formés par processus naturels sur de très longues périodes. Pendant de nombreuses années, les géologues ont pensé qu'il y avait des diamants cachés dans l'Arctique. Après des années de recherche, ils ont fini par en trouver près du lac de Gras, dans les Territoires du Nord-Ouest, en 1991. On y a construit une mine baptisée Ekati. Plusieurs autres mines de diamants sont exploitées actuellement dans le Grand Nord. Il y a aussi la mine de diamants Victor, en Ontario. Le Canada produit 8 % des diamants mondiaux.

On construit des routes et des voies ferrées pour transporter les ressources du lieu où elles sont découvertes vers le lieu où elles seront utilisées. On ne peut pas construire de voies ferrées dans l'Arctique et il est trop coûteux de transporter par avion l'équipement nécessaire pour construire la mine ou encore les diamants vers le lieu où ils seront vendus. Les compagnies minières de diamants se sont donc associées pour construire une « route de glace » de 600 kilomètres. Une route de glace est une route temporaire, construite au-dessus d'une étendue d'eau gelée.

La route de glace n'est ouverte que de février à avril, quand la glace est suffisamment dure pour supporter les gros camions et leurs chargements. On ne veut pas qu'ils tombent dans les eaux glacées de l'Arctique!

Voici les principaux minéraux produits par les provinces :

- L'Ontario produit le plus de cuivre, d'or, de nickel et d'argent.

- Le Nouveau-Brunswick produit le plus de plomb et de zinc.

- Terre-Neuve-et-Labrador produit le plus de minerai de fer.

- Les Territoires du Nord-Ouest produisent le plus de diamants.

- L'Alberta produit le plus de charbon.

Sudbury, en Ontario, est la plus grosse ville minière du Canada. Elle est située sur le Bouclier canadien. Il y a environ 1,8 milliard d'années, une météorite venue de l'espace s'est écrasée à cet endroit. Elle a volé en éclats et son impact a laissé un immense cratère appelé maintenant bassin de Sudbury. L'impact a été tellement fort que la roche a fondu. Quand la surface s'est refroidie, de riches gisements de nickel et de cuivre se sont formés sur les bords du bassin. Ces minéraux ont été découverts à la fin des années 1800 lors de la construction du chemin de fer. Au début de l'exploitation minière, le cuivre était le minéral le plus précieux. Quand on a découvert de nouvelles utilisations pour le nickel, il est devenu précieux lui aussi. Actuellement, il est utilisé entre autres dans la fabrication de l'acier inoxydable et des piles.

Contrairement à d'autres ressources, les minéraux ne sont pas renouvelables. Une fois épuisés, ils ont disparu à jamais. Quand une mine n'a plus de minéraux, les

Le monument Big Nickel à Sudbury en Ontario est la réplique d'une pièce de 5 cents.

villes peuvent en souffrir puisqu'il y a moins d'emplois.

L'exploitation minière a aussi des effets sur l'environnement. Il faut utiliser de grandes quantités d'eau et de substances chimiques pour séparer les minéraux du minerai. Par la suite, des résidus miniers demeurent sur place. Ces résidus sont des mélanges toxiques d'eau et de produits chimiques qui sont déversés sur les terres, où ils polluent les réserves d'eau souterraines et les lacs. Les mines à ciel ouvert laissent de grandes cicatrices physiques sur la Terre qui ressemblent à d'énormes cratères.

Pour minimiser l'impact de l'exploitation minière sur l'environnement, nous devons être conscients de ce que nous achetons. Environ 60 types de minéraux sont utilisés pour fabriquer un ordinateur. Plus la demande de nouveaux ordinateurs est forte, plus le coût est grand pour l'environnement lorsqu'il faut produire les minéraux qui entrent dans leur fabrication. Nous pouvons tous être davantage responsables en n'achetant que ce dont nous avons besoin et en recyclant.

Chapitre 5

Les ressources énergétiques

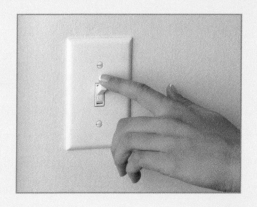

Tout ce que nous faisons requiert de l'énergie.
L'énergie provient d'une source de combustible.
Chez les humains, ce combustible provient
des aliments qu'ils consomment, tandis que
chez les plantes, ce combustible provient de
la lumière solaire et des éléments nutritifs du
sol. Les combustibles fossiles sont les plus
couramment utilisés pour les transports,
les usines, les entreprises et les logements.

Le charbon, le pétrole et le gaz naturel sont des combustibles fossiles. Ils se sont formés à partir des restes de plantes et d'animaux qui vivaient il y a des millions d'années. Une fois morts, les plantes et les animaux ont été recouverts de boue et de roches. À mesure que la boue et les roches s'accumulaient, la pression et la chaleur créées les ont transformées en charbon, en pétrole ou en gaz.

Le charbon se présente en filons, ou couches, sous la terre. Les mines à ciel ouvert permettent d'atteindre le charbon à proximité de la surface. Des pelles mécaniques dégagent les couches de terre, découvrant le charbon qui est alors extrait pour utilisation. Dans les mines souterraines, d'immenses puits sont creusés dans la terre. Ces puits sont reliés par des tunnels qui suivent le filon de charbon. Les mineurs utilisent des explosifs et des machines géantes pour forer le charbon qui est ensuite remonté à la surface.

La sécurité des mineurs est importante dans les mines souterraines. Des explosions et des inondations peuvent se produire et bloquer les mineurs sous terre. En Nouvelle-Écosse, en 1992, 26 mineurs ont été tués quand une explosion s'est produite dans la mine Westray à Plymouth.

Une centrale électrique alimentée au charbon à Halifax, en Nouvelle-Écosse.

Le charbon est une substance noire ou brune, d'aspect rocheux, qui brûle facilement. Au Canada, on brûle le charbon principalement pour produire de l'électricité dans des centrales électriques et pour faire fonctionner les aciéries. Le reste est exporté. La Colombie-Britannique, l'Alberta et la Saskatchewan ont le plus grand nombre de gisements de charbon. La plus grosse mine de charbon canadienne est la mine à ciel ouvert Highvale à l'ouest d'Edmonton, en Alberta.

Le gaz naturel est lui aussi un combustible fossile. Il est présent dans la **roche sédimentaire,** sous la terre et sous les planchers océaniques. Le gaz naturel est présent seul, ou avec du charbon ou du pétrole. Quand le gaz naturel se trouve avec du charbon, on l'appelle méthane de houille. Le gaz de schiste est un gaz naturel présent dans un type de roche, le schiste. Pour extraire le gaz piégé, les compagnies minières creusent un puits dans le schiste et injectent un mélange d'eau, de produits chimiques et de sable dans la roche. Ce procédé appelé « la fracturation hydraulique » entraîne des fissures dans la roche qui libèrent le gaz. L'exploitation de gaz naturel la plus importante se trouve dans le nord-est de la Colombie-Britannique, dans les bassins de schiste de Montney et de Horn River.

Les combustibles fossiles posent de gros problèmes aujourd'hui. Les gens s'inquiètent de la pollution que ces combustibles engendrent en brûlant. Ils s'inquiètent aussi de ce qui arrivera quand les réserves de combustibles fossiles seront épuisées. Certains scientifiques ont estimé qu'elles viendront à manquer d'ici une centaine d'années. Les combustibles fossiles sont des ressources non renouvelables. Il faut des millions d'années pour que de nouveaux combustibles fossiles se forment, et les humains utilisent cette ressource naturelle plus vite qu'elle ne se forme.

Un pipeline de gaz naturel traverse la Saskatchewan.

Le gaz naturel est constitué principalement de méthane, mais il renferme également d'autres gaz et de l'eau. Il faut éliminer ces gaz durant le **traitement** avant que le gaz naturel puisse être utilisé. Des pipelines de gaz naturel traversent le Canada et les États-Unis. Ils permettent de livrer le gaz naturel là où il sera utilisé pour produire de l'électricité ou comme combustible pour les logements et comme carburant pour les moyens de transport.

Le chevalet de pompage d'un puits de pétrole.

La principale source de combustibles fossiles du Canada est le bassin sédimentaire de l'Ouest canadien, une zone de roche sédimentaire qui s'étend sous l'Alberta, le sud de la Saskatchewan et le nord-est de la Colombie-Britannique. L'Alberta possède les plus grandes **réserves** de combustibles fossiles. Son premier puits de pétrole a été foré à Leduc, juste à l'est d'Edmonton, en 1947.

Le pétrole et le gaz sont extraits du fond de la mer. C'est ce qu'on appelle le forage en mer. Hibernia, située au large de Terre-Neuve, est la plus grande plateforme de forage pétrolier jamais construite.

Aujourd'hui, les tours de forage ponctuent encore le paysage albertain, mais la majorité du pétrole est extrait des sables bitumineux. Il en existe trois gisements : dans les régions de l'Athabasca, de Cold Lake et de Peace River. La ville de Fort McMurray est située au cœur de l'industrie des sables bitumineux.

Le pétrole est envoyé dans une raffinerie et transformé en différents produits, particulièrement en essence pour les automobiles et les camions. Il entre aussi dans la fabrication de produits d'usage courant comme les plastiques et certains tissus.

Des sables bitumineux dans le nord de l'Alberta.

Outre les combustibles fossiles, il existe d'autres sources d'énergie au Canada. L'énergie peut aussi être transférée d'un élément en mouvement à un autre. Par exemple, l'énergie de l'eau en mouvement peut être utilisée pour produire de l'électricité. L'électricité ainsi produite s'appelle l'hydroélectricité. Le Canada est le plus gros producteur d'hydroélectricité au monde.

Le barrage hydroélectrique des chutes du Niagara, en Ontario.

Au Québec, on a construit d'immenses barrages hydroélectriques à la baie James et sur la rivière Manicouagan. En Ontario, un barrage hydroélectrique capte l'énergie des chutes du Niagara. Le Manitoba, la C.-B. et Terre-Neuve possèdent aussi des barrages hydroélectriques.

La Saskatchewan est le premier producteur d'uranium au pays. L'uranium est extrait d'un minerai appelé pechblende et peut servir à produire de l'électricité dans les centrales nucléaires. La mine McArthur River, située dans cette province, produit l'uranium de la plus haute qualité au monde.

L'uranium est radioactif. Dans les centrales nucléaires, les atomes d'uranium sont fissionnés et l'énergie dégagée par cette réaction sert à produire de l'électricité. Les centrales nucléaires produisent d'énormes quantités d'énergie, mais elles engendrent aussi des déchets dangereux qui doivent être entreposés avec précaution.

Toutes les sources d'énergie ont un impact sur la nature. L'exploitation de combustibles fossiles peut laisser d'affreuses cicatrices dans le paysage. Les combustibles fossiles sont également responsables de la pollution et du **réchauffement climatique**. Les barrages hydroélectriques détournent le cours naturel des rivières ou inondent des territoires.

Au Canada, les gouvernements et les compagnies ont consacré du temps et de l'argent à l'exploitation de sources d'énergie de remplacement, aussi appelée « énergie verte ». Il peut s'agir d'utiliser des biocarburants, comme le carburant produit à l'aide de maïs ou de canola, au lieu de combustibles fossiles, ou de capter l'énergie éolienne (du vent) ou solaire pour la transformer en électricité. La plus grande centrale électrique solaire au monde se trouve à Sarnia, en Ontario. Elle peut fournir l'énergie nécessaire à 300 000 foyers. Les parcs éoliens répartis dans tout le pays produisent suffisamment d'électricité pour alimenter 1,5 million de foyers.

Pincher Creek, en Alberta, tire parti de son statut de capitale canadienne du vent grâce à ses rangées d'éoliennes.

Que pouvons-nous faire pour garantir qu'il y aura des sources d'énergie et d'autres ressources naturelles pour l'avenir? Nous pouvons faire une grosse différence en étant conscients de l'impact de nos actes sur nos ressources naturelles. Pour commencer, pose des questions afin de savoir si les choses que tu achètes, les aliments que tu manges et l'énergie que tu utilises sont produits d'une manière durable pour l'avenir.

Glossaire

agriculture : les récoltes et le bétail élevé dans les fermes sont les produits de l'agriculture.

biocarburant : terme général pour les différents types de carburant d'origine végétale (arbres, plantes) ou animale.

combustibles fossiles : substances issues de plantes et d'animaux morts il y a longtemps. Le charbon, le pétrole et le gaz naturel sont des combustibles fossiles.

commercial : conçu à des fins lucratives ou pour gagner de l'argent.

conifères : arbres dont les fruits sont des cônes et les feuilles des aiguilles. La plupart restent verts toute l'année. Les cèdres, les douglas, les mélèzes, les pins et les épinettes en font partie.

contaminant : quelque chose qui salit ou infecte quelque chose d'autre.

écorce terrestre : couche extérieure rocheuse de la Terre.

environnement : milieu dans lequel quelque chose comme une plante ou un animal vit.

exportateur : quelqu'un qui vend des biens ou des services à un autre pays.

fertile : capacité de se reproduire, généralement pour créer une nouvelle génération de plantes ou d'animaux.

feuillus : arbres qui perdent leurs feuilles en automne. Les bouleaux, les érables, les chênes, les peupliers et les saules en font partie.

géologues : scientifiques qui étudient la géologie ou la Terre et les matériaux qui la composent.

industries : activités économiques souvent regroupées par type de produits fabriqués.

industrie manufacturière : fabrication de biens (généralement par des machines dans des usines) en vue de leur vente.

matières organiques : organismes vivants. Dans le sol, les matières organiques font généralement référence à des feuilles et autres parties de plantes qui se décomposent. Elles incluent aussi les toutes petites créatures et bestioles qui vivent dans le sol.

matières premières : matériaux, généralement extraits de la nature, avec lesquels des objets sont fabriqués. Par exemple, un rondin est la matière première d'une chaise en bois.

métallique : d'aspect brillant. Les minéraux peuvent être classés selon leur lustre ou leur éclat. Les minéraux métalliques brillent plus que les minéraux non métalliques.

migration : déplacement saisonnier de certains animaux pour se nourrir ou se reproduire.

minéraux : substances solides naturelles composées d'éléments chimiques. Les minéraux ne sont pas des êtres vivants.

moratoire : suspension d'une activité en particulier pendant une période de temps donnée.

nutriments : substances essentielles à la bonne santé. Les nutriments du sol permettent aux plantes de grandir et incluent des éléments chimiques comme la potasse et le nitrogène.

originaire : qui vient d'un endroit particulier.

pesticides : produits chimiques répandus sur les plantes pour éloigner les insectes et animaux nuisibles.

plancton : créatures minuscules qui vivent dans l'eau. Le plancton est à la base de la chaîne alimentaire des océans.

pollinisation : acte de transporter du pollen d'une plante à une autre. Le pollen contient ce dont les plantes ont besoin pour se reproduire ou pour faire pousser de nouvelles plantes.

réchauffement climatique : quand les activités des humains changent les tendances météorologiques à long terme.

récolte : acte de recueillir des produits de la nature au cours d'une saison ou d'une année.

réserves : quantité d'une chose conservée pour un usage ultérieur.

roches sédimentaires : roches provenant de l'accumulation de petites particules appelées sédiments. Les roches sédimentaires se forment en couche ou strates.

se reproduire : créer la prochaine génération.

traitement : changer quelque chose de son état initial à un état dans lequel il peut être utilisé ou consommé.

Index

Références photographiques

Page de couverture : (arbres) istockphoto.com/BrianGuest; (bateau de pêche) istockphoto.com/mayo5; (barrage hydroélectrique) istockphoto.com/IanChrisGraham. Quatrième de couverture : Tupungato/Shutterstock.com

Page iv : gnohz/Shutterstock.com; p. 2 : Elena Elisseeva / Shutterstock.com; p. 3 : Chrislofoto/Shutterstock.com; p. 4 (carte) : Paul Heersink; p. 7 : Christopher Kolaczen/ Shutterstock.com; p. 8 : Hugh Stimson; p. 10 : Howard Sandler/ Shutterstock.com; p. 12 : Lisa S./Shutterstock.com; p. 13 : Moreno Soppelsa/Shutterstock.com; p. 14 : Matthew Jacques/ Shutterstock.com; p. 15 : sianc/Shutterstock.com; p. 16 : Bill Mack/Shutterstock.com; p. 17 : Brian Lasenby/Shutterstock.com; p. 19 : Sebastien Burel/Shutterstock.com; p. 21 : The Rooms Provincial Archives Division, VA 92-99/ Attribué à Fred Coleman; p. 22 : ejwhite/Shutterstock.com; p. 23 : Paul McKinnon/Shutterstock.com; p. 25 : Tony Hunt/ Shutterstock.com; p. 26 : Andre Jenny/GetStock.com; p. 27 : Michele et Tom Grimm/GetStock.com; p. 28 : Melissa King/ Shutterstock.com; p. 29 : Julija Sapic/Shutterstock.com; p. 31 : Lijuan Guo/Shutterstock.com; p. 32 : Bryan Sikora/ Shutterstock.com; p. 35 : Elena Elisseeva/Shutterstock.com; p. 36 : Paul Binet/Shutterstock.com; p. 37 : Terry Davis/ Shutterstock.com; p. 39 : meunierd/Shutterstock.com; p. 43 : gracieuseté de Diavik Diamond Mines Inc.; p. 44 : Mark52/ Shutterstock.com; p. 46 : Bruce Raynor/Shutterstock.com; p. 47 : Steve Cukrov/Shutterstock.com; p. 49 : V. J. Matthew/ Shutterstock.com; p. 51 : Pictureguy/Shutterstock.com; p. 52 : Brenda Carson/Shutterstock.com; p. 53 : Christopher Kolaczan/ Shutterstock.com; p. 54 : martellostudio/Shutterstock.com; p. 57 : 2009fotofriends/Shutterstock.com.